UM GUIA COMPLETO SOBRE O DESENHO ANIMADO MAIS IRADO DA TV

Texto de
David Lewman

Tradução
Joel Donadoni

SANDY BOCHECHAS

PLÁNCTON

PATRICK ESTRELA

Bob ESPONJA

UM GUIA COMPLETO SOBRE O DESENHO ANIMADO MAIS IRADO DA TV

BOB ESPONJA
CALÇA QUADRADA

Delphys
Mergulhando na leitura

Sumário

Bob Esponja Calça Quadrada

Bob Esponja é uma esponja do mar absorvente, amarela e fofa que mora no oceano dentro de um abacaxi com seu caramujo de estimação Gary. Ele adora fazer bolhas, seu emprego de cozinheiro no restaurante Siri Cascudo, brincar com os amigos e fazer todo mundo rir!

Alinhadíssimo

No guarda-roupa de Bob Esponja podemos encontrar suas roupas favoritas – camisa branca, gravata vermelha, meias listradas, sapatos pretos e shorts marrons quadrados (logicamente) presos por um cinto preto bem maneiro. Bob Esponja gosta de pensar que é um cara que anda na moda.

Os furinhos mantêm Bob Esponja sempre limpinho!

Ele sabe que é preciso muito amor para fazer um hambúrguer perfeito de siri. Ele adora seu trabalho, seu caramujo de estimação, a Fenda do Biquíni, seus amigos e, principalmente, ele mesmo! Seu coração é tão puro quanto suas calças são quadradas.

Bob Esponja pode se dividir ao meio – e em seguida juntar as duas partes de novo!

Ora Bolhas

Bob Esponja é muito bom em fazer bolhas, tão bom que pode até ensinar. Por uma pequena quantia em dinheiro, que ele terá o máximo prazer em emprestar a você, ele pode demonstrar sua técnica patenteada de fazer bolhas. Para Bob Esponja, bolhas são muito mais do que simples esferas de ar – são uma forma de arte, um meio de comunicação e fonte de uma amizade, como a do Amigo da Bolha.

"Estou pronto!"

Se os braços de Bob Esponja caírem, eles crescem de novo!

Fregueses exigentes

Bob Esponja enfrenta muitos problemas em sua vida submarina, mas normalmente consegue se sair bem no final, seja com um bando de anchovas famintas ou com lombrigas devoradoras de abacaxi. Ele é uma esponja cheia de boa vontade, determinação e muita água salgada.

Apesar de gostar de trabalhar, Bob Esponja também gosta de feriados, mesmo daqueles de que você nunca ouviu falar, como o Dia do Contra. Ele adora comemorações.

Curiosidades sobre as Esponjas

Existem cerca de 5.000 espécies de esponjas no mundo marinho. Elas podem fazer crescer de novo partes do próprio corpo!

Patrick Estrela

A vida de Patrick é complicada. Por ser uma estrela-do-mar ele adora ficar grudado em sua rocha, dormir e comer, mas como é o melhor amigo de Bob Esponja, sempre participa das mais agitadas aventuras nos lugares mais estranhos. Ele até já foi para a Lua no foguete da Sandy!

"Eu não consigo entender nada."

Uma estrela leal

Patrick é um amigo muito leal e sensível. Só de pensar na possibilidade de Bob Esponja mudar de casa já faz com que ele chore, comece a soluçar e fique triste. Aliás, o fato de pensar que não vai tomar seu café da manhã também faz com que ele chore, comece a soluçar e fique triste. Você sempre pode contar com Patrick – mesmo se ele estiver dormindo.

Patrick já ganhou um prêmio por "Ficar sem Fazer Absolutamente Nada Mais Tempo do que qualquer um".

Na maioria das vezes encontramos Patrick assistindo à TV ou dormindo. Mas isso não quer dizer que ele não possa se mexer quando é necessário. Patrick pode ser muito rápido quando está assustado, animado ou quando vai tomar sorvete!

Patrick costuma usar gravata em ocasiões especiais.

8

Curiosidades sobre as Estrelas-do-Mar

As estrelas-do-mar possuem braços ocos e respiram pelo próprio corpo. Pertencem a uma família conhecida como equinodermos.

Seus passatempos favoritos: dormir e ficar deitado.

Alma sensível

Apesar de ser muito sensível, Patrick às vezes também é corajoso. Por exemplo, ele não teve nem um pouco de medo em subir em uns ganchos misteriosos que apareceram na Fenda do Biquíni. Alguns dizem que ele só é corajoso porque não tem noção do perigo.

Casa Submarina

Ah, Rocha, Doce Rocha. Patrick adora sua rocha porque é segura, aconchegante e fácil de limpar. Ele pode ficar deitado em sua cama, grudado no interior da rocha e até mesmo usá-la como um cobertor gigante. Mas o que é mais legal é que ela fica pertinho da casa do Bob Esponja!

Patrick geralmente é um cara muito legal, mas também pode ficar muito nervoso. Certa vez achou que Bob Esponja tivesse apenas lhe dado um aperto de mão no Dia dos Namorados, e ficou furioso, gritando "PATRICK TAMBÉM PRECISA DE AMOR!" e "você partiu meu coração. Agora eu vou destruir algo SEU também!"

Lula Molusco Tentáculos

Lula Molusco Tentáculos (é esse mesmo o nome!) não é o ser mais amável do planeta. Ele detesta trabalhar no Siri Cascudo e seu maior desejo é ver-se livre de seus vizinhos Bob Esponja e Patrick Estrela. Mas a vida não é tão ruim assim para ele, que adora tocar sua clarineta, pintar retratos de si mesmo e fazer gostosas receitas.

Os braços elásticos de Lula Molusco podem arremessar bolas de neve mais rápido do que uma máquina!

Um cara sofisticado

Lula Molusco tenta introduzir um pouco de cultura na Fenda do Biquíni. Ele ensina arte – mas apenas Bob Esponja aparece nas aulas. Ele organiza uma banda – mas ninguém sabe tocar um instrumento musical. Ele transforma o Siri Cascudo em um restaurante elegante – mas com Bob Esponja como garçom, isso não dura muito.

"Por favor, diga que isso não é uma piada"

A maioria dos polvos possui oito tentáculos, mas Lula Molusco tem apenas seis – quatro pernas e dois braços.

Lar Cabeça

A casa de Lula Molusco é seu refúgio, seu esconderijo, seu lar, e, raramente, ou melhor, jamais, convida Bob Esponja para visitá-lo. Em seu ateliê, ele faz estátuas e pinta quadros de si mesmo. Na cozinha ele prepara pratos sofisticados para ele mesmo comer. E em sua cama confortável, ele pode sonhar que um dia haverá um mundo sem o Bob Esponja.

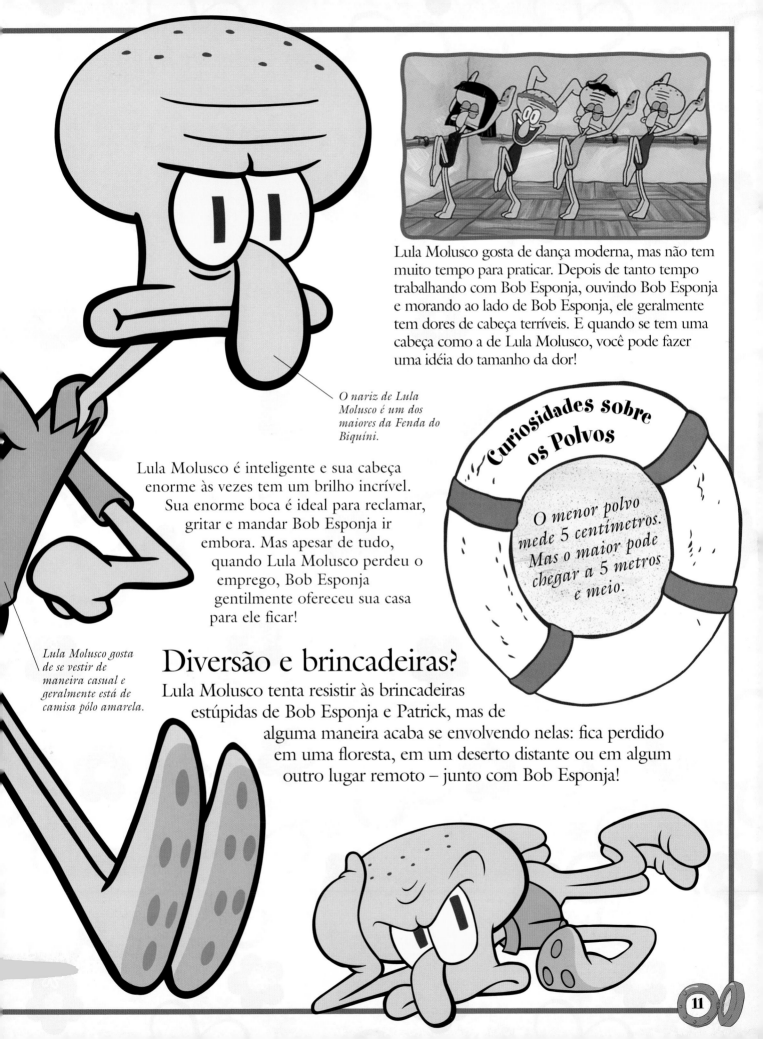

Lula Molusco gosta de dança moderna, mas não tem muito tempo para praticar. Depois de tanto tempo trabalhando com Bob Esponja, ouvindo Bob Esponja e morando ao lado de Bob Esponja, ele geralmente tem dores de cabeça terríveis. E quando se tem uma cabeça como a de Lula Molusco, você pode fazer uma idéia do tamanho da dor!

O nariz de Lula Molusco é um dos maiores da Fenda do Biquíni.

Lula Molusco é inteligente e sua cabeça enorme às vezes tem um brilho incrível. Sua enorme boca é ideal para reclamar, gritar e mandar Bob Esponja ir embora. Mas apesar de tudo, quando Lula Molusco perdeu o emprego, Bob Esponja gentilmente ofereceu sua casa para ele ficar!

Curiosidades sobre os Polvos

O menor polvo mede 5 centímetros. Mas o maior pode chegar a 5 metros e meio.

Lula Molusco gosta de se vestir de maneira casual e geralmente está de camisa pólo amarela.

Diversão e brincadeiras?

Lula Molusco tenta resistir às brincadeiras estúpidas de Bob Esponja e Patrick, mas de alguma maneira acaba se envolvendo nelas: fica perdido em uma floresta, em um deserto distante ou em algum outro lugar remoto – junto com Bob Esponja!

A Fenda do Biquíni

A cidade da Fenda do Biquíni é uma comunidade marinha fascinante. Ela é cheia de habitantes e lugares interessantes. Os turistas adoram visitar o Museu do Mestre-Cuca; o Zoológico da Fenda do Biquíni abriga a maior ostra em cativeiro; é na Lagoa Goo que está localizada a Praia do Músculo, o POINT da galera.

Casa da Sra. Pufe

Campos das Águas-Vivas

Redoma Marinha da Sandy

Casa da Avó do Bob Esponja

Casa do Lula Molusco

Casa do Patrick

Casa do Bob Esponja

Casa do Sr. Sirigueijo

Escola de
Pilotagem de Barcos
da Sra. Pufe

Lagoa Goo

O Siri Cascudo

O Balde
Camarada

SHADY
SHOALS
REST HOME

O Museu do
Mestre-Cuca

Casa de Repouso
Municipal

Fenda

do Biquíni

A Casa do Bob Esponja

Um lugar perfeito

Na sala de estar, Bob Esponja assiste à TV e recebe os amigos. Na cozinha, ele prepara seu cereal preferido. Em sua banheira, ele toma relaxantes banhos de espuma. Na biblioteca, ele estuda para obter sua licença de piloto. E no quarto ele sonha com hambúrguer de siri e com a caça de água-viva.

Como a maioria das pessoas já sabe, Bob Esponja Calça Quadrada mora num abacaxi. Mas não é um abacaxi qualquer – o seu é uma confortável casa com sala de estar, cozinha, banheiro, quarto e uma excelente biblioteca! E isso sem mencionar o delicioso aroma!

Chaminé

As folhas do abacaxi encobrem um terraço

Trampolim para mergulhar na cama

Baú de tesouros – conteúdo desconhecido

A cama do Bob Esponja tem três colchões

Despertador feito de alarme de nevoeiro

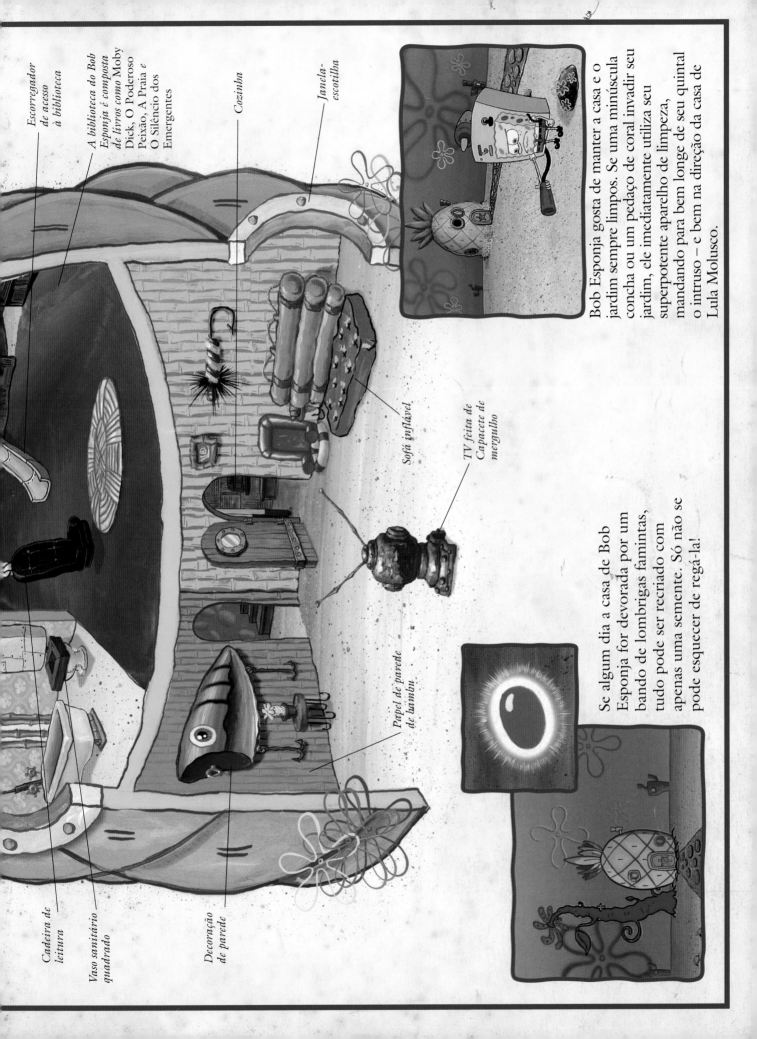

Escorregador de acesso à biblioteca

A biblioteca do Bob Esponja é composta de livros como Moby Dick, O Poderoso Peixão, A Praia e O Silêncio dos Emergentes

Cozinha

Janela-escotilha

Cadeira de leitura

Vaso sanitário quadrado

Decoração de parede

Papel de parede de bambu

Sofá inflável

TV feita de Capacete de mergulho

Bob Esponja gosta de manter a casa e o jardim sempre limpos. Se uma minúscula concha ou um pedaço de coral invadir seu jardim, ele imediatamente utiliza seu superpotente aparelho de limpeza, mandando para bem longe de seu quintal o intruso – e bem na direção da casa de Lula Molusco.

Se algum dia a casa de Bob Esponja for devorada por um bando de lombrigas famintas, tudo pode ser recriado com apenas uma semente. Só não se pode esquecer de regá-la!

Eugênio H. Sirigueijo

O Sr. Sirigueijo é o proprietário do Siri Cascudo e o administra com mãos de ferro e com o objetivo de ganhar o máximo de dinheiro possível. Bob Esponja é o funcionário perfeito – trabalha muito e não liga se recebe o salário ou não.

Vida de caranguejo

A história do Sr. Sirigueijo é muito interessante. Ele já foi o chefe de cozinha do *S.S. Diarréia* antes de abrir o Siri Cascudo. Ele guarda em uma moldura o primeiro dólar que ganhou na vida. Ele já foi namorado da Sra. Pufe, a professora de pilotagem de barcos.

O Sr. Sirigueijo tem olhos de águia – perfeitos para encontrar dinheiro perdido.

O arquiinimigo do Sr. Sirigueijo é o Pláncton, proprietário do Balde Camarada. Em uma das várias tentativas de roubar a receita do hambúrguer de siri, Pláncton construiu uma versão robô do Sr. Sirigueijo para fazer com que Bob Esponja revelasse a fórmula secreta. Felizmente, o robô do Pláncton tinha um dispositivo de autodestruição ativado por moedas.

16

Existem cerca de 6.000 espécies de caranguejos. Quando nascem, a maioria é minúscula e transparente.

Quando o assunto é dinheiro, o Sr. Sirigueijo é honesto, mas não divide nem mesmo um centavo. Sem dinheiro, ele está perdido. Como o Sr. Sirigueijo sempre diz, "Se eu não ganhar nenhum centavo hoje, vou me despedaçar".

O Sr. Sirigueijo tem duas garras muito fortes – ótimas para pegar o dinheiro e não soltá-lo.

$ Pérola

A única coisa que o Sr. Sirigueijo adora mais que dinheiro é sua filha adolescente Pérola. Apesar de adorar o pai, às vezes ele a deixa encabulada. Pérola é louca por rapazes, roupas, maquiagem e para ser líder de torcida. E ela é bem ágil apesar de seu peso de baleia!

As pernas do Sr. Sirigueijo são pequenas, mas rápidas – ótimas para correr atrás de dinheiro.

Casa ancorada

A casa do Sr. Sirigueijo tem formato de âncora. Na parede da sala de estar existem vários quadros. No quarto, há um pequeno buraco no chão no qual ele sempre tropeça.

O Siri Cascudo

O Siri Cascudo é o restaurante mais sofisticado da Fenda do Biquíni. Com Bob Esponja na cozinha e Lula Molusco no caixa, fregueses satisfeitos comem hambúrguer de siri aos montes – e isso significa muito dinheiro para seu proprietário, o Sr. Sirigueijo!

Assentos em estilo naval

As grandes janelas, que Bob Esponja vive limpando, permitem que os clientes vejam seu interior impecável. As pessoas gostam dos assentos confortáveis e das belas mesas. Aqui eles podem comer e desfrutar da famosa hospitalidade do Sr. Sirigueijo – "Nada de guardanapos grátis".

O lindo exterior do restaurante Siri Cascudo é muito parecido com uma armadilha de prender lagostas. Talvez seja por isso que Lula Molusco sempre se sinta preso trabalhando lá.

O Hambúrguer de Siri

Apenas o Sr. Sirigueijo e Bob Esponja conhecem a receita secreta que torna esse hambúrguer tão saboroso. Se perguntarmos, Bob Esponja responderá, "A fórmula do hambúrguer de siri é propriedade única e exclusiva do Siri Cascudo e pode ser discutida em partes ou em todo com o seu criador: o Sr. Sirigueijo. A cópia da fórmula será punida de acordo com a lei".

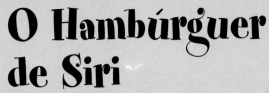

Funcionários espertos

Bob Esponja e Lula Molusco formam uma verdadeira equipe. Bob Esponja corta os ingredientes, frita os hambúrgueres, coloca os pedidos em ordem, limpa a cozinha, conta as sementes de gergelim, põe o lixo para fora, lava os banheiros, passa pano no chão do restaurante e tira os chicletes da parte de baixo das mesas. Lula Molusco anota os pedidos.

A caixa registradora em formato de barco do Siri Cascudo reforça o espírito náutico do restaurante.

A cozinha do Siri Cascudo é equipada com o que há de melhor para cozinhar. É nela que os hambúrgueres de caranguejo são feitos com todo o carinho.

Sandy Bochechas

Sandy Bochechas é uma habitante da Fenda do Biquíni de origem terrestre. Ela veio do Texas para viver entre as criaturas do mar. Graças à sua redoma de ar, essa simpática esquilinha é capaz de viver confortavelmente no fundo do oceano. Amante de esportes radicais, Sandy está sempre em atividade – exceto em seus momentos de hibernação.

"No fundo sempre serei uma garota do Texas!"

À moda dos esquilos

Quando ela não está dentro de sua redoma, Sandy usa um traje pressurizado com um capacete de ar que permite que ela respire debaixo d'água. As botas podem parecer pesadas, mas elas não fazem com que Sandy diminua seu ritmo – ela adora queimar calorias! Dentro da redoma, Sandy geralmente está de biquíni.

Texas

Se você ouvir Sandy falar, você conseguirá adivinhar que ela vem do Texas. Não somente pelo sotaque ou pelas expressões que utiliza – "Eu tô mais quente que uma lingüiça no espeto" – mas porque ela sente orgulho de dizer para as pessoas de onde ela veio.

Este é o tamanho normal da Sandy. Ela fica maior quando está hibernando.

Respeito marinho

Sandy adora as criaturas do mar. A água-viva a deixa impressionada por seus graciosos movimentos. Ela até aprendeu a montá-las! As criaturas gigantes possuem uma força incrível. E Bob Esponja faz com que ela se divirta bastante.

O emblema da Sandy é uma noz.

Viagem à Lua

Sandy é uma aventureira, por isso gosta de explorar outros lugares além da Fenda do Biquíni. Ela tem um foguete de verdade pronto para viagens ocasionais à Lua. Uma vez, Bob Esponja e Patrick lançaram o foguete de Sandy sem ela. Eles acabaram dando voltas ao redor da Lua e aterrissando de volta na Fenda do Biquíni, pensando que todos fossem alienígenas disfarçados.

Sandy adora fazer exercícios. Ela corre dentro da redoma numa rodinha. Fora da redoma, ela surfa, faz snowboard, anda de bicicleta, levanta pesos e adora praticar luta-livre com moluscos gigantes. Com seu melhor amigo, Bob Esponja, ela adora praticar caratê, ou como ela diz, "caar-ra-tê".

A Redoma da Sandy

Um dos lugares mais incomuns na Fenda do Biquíni é a Redoma da Sandy, uma enorme bolha de ar com uma árvore bem no meio. Para entrar nela, os visitantes têm que passar por uma passagem especial. Dentro dela, as criaturas marinhas usam capacetes cheios de água para que não ressequem.

Dentro da redoma, Sandy recriou o tipo de casa que os esquilos adoram, com muita grama, uma mesa de piquenique, uma rodinha para se exercitar, uma fonte para os passarinhos e uma árvore enorme com deliciosas nozes para ela comer!

Como a redoma está cheia de ar, Sandy não tem que usar seu traje espacial e pode aproveitar para usar seus elegantes trajes de banho. Ela tem orgulho do ar dentro da redoma – "o ar mais seco, mais puro e mais arejado de todo o mar!"

Lar, doce lar

A redoma da Sandy é feita do mais resistente poliuretano, que ela diz ser um "nome chique para o plástico". Alguns de seus amigos do Texas a ajudaram a trazer todas as suas coisas para debaixo d'água e ela decorou o lugar para se parecer exatamente como sua casa no Texas.

Dentro da árvore da Sandy existe uma ótima sala para ver televisão.

A casa da Sandy é o único lugar debaixo d'água onde se pode encontrar grama.

A porta da frente da redoma da Sandy possui um interfone para que ela possa cumprimentar os convidados do lado de dentro.

Quando Bob Esponja visitou pela primeira vez a redoma da Sandy, ele não estava acostumado com o conceito do que era ar. Ele tentou se convencer de que poderia ficar bem sem água, mas logo ele ficou mais seco do que um figo no meio do deserto. Um capacete cheio de um delicioso chá gelado feito por Sandy fez com que ele se recuperasse.

Exercício

Como outros roedores, Sandy adora correr numa rodinha. Vestida em seu traje esportivo, Sandy pode correr por horas a fio. Se ela conectasse a rodinha a um gerador de força, provavelmente seria capaz de abastecer toda a Fenda do Biquíni com energia elétrica!

Fechado no Inverno

Certo dia em que visitaram Sandy, Bob Esponja e Patrick ficaram surpresos ao ver que a redoma estava trancada e que dentro dela havia uma porção de coisas brancas! Era o inverno e Sandy estava hibernando. Os dois ficaram presos e tiveram que agüentar temperaturas congelantes. Eles apenas conseguiram sobreviver porque fizeram casacos com os pêlos da Sandy.

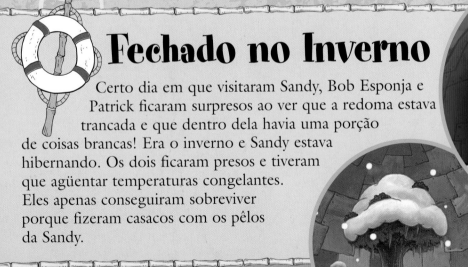

A Escola de Pilotagem da Sra. Pufe

Bob Esponja adora freqüentar as aulas da Sra. Pufe – a melhor (e única) escola de pilotagem na Fenda do Biquíni. Ele faz o curso lá faz tempo e sempre é reprovado, mas não desiste em conseguir o que mais deseja na vida – pilotar.

Guiado pela distração

A Sra. Pufe é um baiacu paciente, mas até ela tem seus limites. Graças ao Bob Esponja ela acabou sendo presa – mais de uma vez! Às vezes ela pensa em se mudar para uma nova cidade e montar uma nova escola de pilotagem com um novo nome. Mas então ela pensa, "Não, de novo não!"

A Sra. Pufe infla como um enorme balão quando o Bob Esponja a deixa maluca!

Ela pode observar seus alunos através da lousa transparente

Regras de Trânsito

A escola da Sra. Pufe tem tudo o que um aluno interessado precisa para obter sua licença para pilotar – uma sala de aula, barcos para as aulas práticas e uma pista de treino com obstáculos. Mas Bob Esponja consegue fazer com que até essa pista seja um lugar perigoso.

Ela usa um uniforme azul e vermelho.

Caos na sala de aula

Bob Esponja também tem problemas dentro da sala de aula. Quando a Sra. Pufe pediu para ele escrever uma frase com dez palavras para ganhar pontos extras, ele ficou totalmente paralisado. Quando um linguado resolveu dar uma de valentão com os outros alunos, ele escolheu Bob Esponja para atormentar.

O maior orgulho de Bob Esponja na escola de pilotagem é o de ter sido Monitor de Classe. Mas ele fez um discurso de posse tão longo que a aula terminou antes mesmo de ele ter a oportunidade de vestir o uniforme. Por isso a Sra. Pufe emprestou o uniforme para ele por uma noite. Mas ele se aproveitou disso para ser o Monitor de Classe por toda a cidade, e a Sra. Pufe descobriu que havia cometido um grande erro!

Curiosidades sobre o Baiacu

Existem cerca de 90 espécies de baiacus. Várias delas são venenosas! O baiacu também é conhecido como baiagu ou sapo-do-mar.

Hora do Exame

Bob Esponja já fez o exame de pilotagem 38 vezes (e foi reprovado em todas elas). Ele sabe as respostas de cor: a proa, a popa, estibordo, bombordo, escotilha, convés, cabine, quilha e 1924. Mas quando chega a hora do exame prático, Bob Esponja fica tão nervoso que bate o veículo, fazendo com que a Sra. Pufe, bem... infle!

Caça de Águas-Vivas

A atividade predileta de Bob Esponja é caçar águas-vivas. O método é simples – pegue a água-viva, deixe-a ir embora e repita o processo quantas vezes quiser. Bob Esponja é perito nisso! Ele também adora fazer com que a água-viva solte um pouco de sua geléia num pedaço de pão. É uma delícia!

Abelhas submarinas

A água-viva é a abelha do mundo submarino e da Fenda do Biquíni. Elas zumbem sob os campos, moram em colméias e algumas vezes dão ferroadas. Elas também produzem uma substância comestível doce, grudenta e que se espalha – um tipo de geléia. As águas-vivas variam muito de tamanho, podendo ser minúsculas ou gigantescas.

A água-viva zumbe ao deslizar pelas águas

A água-viva adora dançar ao som de uma boa música!

A maior parte das águas-vivas da Fenda do Biquíni mora nos Campos das Águas-Vivas, um local muito freqüentado para a prática da caça de água-viva. É para lá que Bob Esponja às vezes vai quando está em seu horário de almoço de cinco minutos. Os Campos das Águas-Vivas são um local amplo e tranqüilo onde as águas-vivas passeiam livres.

Jellyfish Fields

Óculos de segurança para caçar a água-viva.

Segurança em primeiro lugar

Antes de sair por aí caçando águas-vivas, temos que utilizar os equipamentos corretos: uma rede, um pote e óculos de segurança. A rede serve para pegar a água-viva, o pote para guardar a geléia da água-viva e os óculos de segurança para fazer com que nos sintamos seguros.

A geléia de água-viva dá um sabor delicioso ao hambúrguer de siri.

Quero Ser Livre!

Certa vez, Bob Esponja se cansou de sua vida comum e decidiu viver livre e naturalmente com as águas-vivas. Mas depois de comer algas-marinhas, ficar preso em corais, ser atacado por ouriços-do-mar venenosos, ser ferroado pela sua água-viva predileta e ser caçado por Patrick, Bob Esponja retornou para sua casa e para os amigos – feliz da vida.

Curiosidades sobre as Águas-Vivas

A água-viva é formada por quase 99 por cento de água! Ela habita a Terra por cerca de centenas de milhões de anos.

A mais magnífica de todas as águas-vivas é a *Cnidaria Rex*, a Rainha das Águas-Vivas. Quando ele foi caçar água-viva com um grupo de elite da caça de água-viva, Bob Esponja conseguiu domar a Rainha das Águas-Vivas com uma bolha no formato de torta. Ele fez isso porque sabe que, "Todo mundo gosta de torta!"

Sheldon J. Pláncton

Pláncton dirige o Balde Camarada, a famigerada lanchonete do outro lado da rua do Siri Cascudo. Há muito tempo ele tenta roubar a receita do hambúrguer de siri para que todos venham até seu fast-food. Pláncton pode ser pequeno, mas ele tem grandes idéias malévolas.

"Eu Freqüentei a Faculdade"

Um espião incansável

Pláncton não quer a fórmula secreta do hambúrguer de siri apenas para conseguir sucesso em sua lanchonete. Ele é obcecado por isso. Na verdade, ele vem tentando roubar a fórmula por mais de 25 anos.

As antenas minúsculas de Pláncton conseguem detectar um hambúrguer de siri a quilômetros de distância!

Curiosidades sobre o Pláncton

O nome "Pláncton" inclui todos os animais minúsculos que flutuam no oceano.

O terapeuta de Pláncton diz que ele é um por cento mau e 99 por cento gás quente.

Pláncton adoraria devorar um suculento hambúrguer de siri. Ele quase não consegue resistir ao aroma tentador e à espetacular aparência dessa maravilha num pão com sementes de gergelim. Mas não importa o quanto tente, a equipe fiel do Siri Cascudo sempre evita que Pláncton consiga colocar suas minúsculas mãos no hambúrguer de siri.

Cozinha de alta tecnologia

Pláncton geralmente se utiliza de alta tecnologia para realizar seus planos malévolos. Ele inventou um par de pernas mecânicas para um hambúrguer de siri, colocou um controle remoto no cérebro de Bob Esponja e já usou robôs várias vezes – como clientes falsos, um falso Sr. Sirigueijo e um robô chefe de cozinha para controlar o cérebro de Bob Esponja. Nada disso funcionou.

Hora da Camaradagem

Como quase nunca há clientes no Balde Camarada, Pláncton não precisa de empregados – apenas ele e Karen, a esposa-computador, ficam lá. Depois de ganhar o Bob Esponja do Sr. Sirigueijo num jogo de cartas(depois de ter jogado toda semana por mais de 15 anos), ele conseguiu o melhor cozinheiro. Bob Esponja conseguiu deixar seu novo chefe maluco em menos de um dia.

Pláncton sempre adora dar uma gargalhada malévola

Talvez o plano mais inteligente de Pláncton seja contar com sua esposa-computador, Karen. Ela aconselha o marido em como roubar a fórmula secreta do hambúrguer de siri, mas sempre diz que o problema é que "ele nunca deixa ninguém participar – Pláncton a rocha, Pláncton o solitário". Mesmo assim, ela o ama à sua maneira fria de ser.

Homem Sereia & Mexilhãozinho

Os super-heróis favoritos de Bob Esponja são o Homem Sereia e o Mexilhãozinho. Em seus dias de luta legendária contra o crime, a dupla derrotou inúmeros bandidos e salafrários! Apesar de viverem do passado, a dupla ainda entra em ação quando o MAL ataca!

Superpoderes aquáticos

O Homem Sereia pode convocar as criaturas das profundezas. Ele também consegue atirar bolas de água e, com seu fiel escudeiro Mexilhãozinho, pode nadar cachorrinho em círculos para formar um turbilhão. Quando o "M" em seu cinto de utilidades é pressionado, lança um "pequeno raio" que encolhe milkshakes, pessoas... e até mesmo a Fenda do Biquíni!

Hoje em dia, o Homem Sereia e Mexilhãozinho estão aposentados, apesar de todos os esforços de Bob Esponja para trazê-los à ativa de novo. Eles moram na Casa de Repouso Municipal, onde o Homem Sereia desfruta das camas, da TV e da torta servida na cantina. Ele também gosta do sorvete de ameixa seca com flocos de aveia.

Um dos superpoderes do Mexilhãozinho é sua visão de enxofre que queima.

O Mexilhãozinho tem 68 anos e já está começando a aparentá-los.

O Homem Sereia luta contra o crime há mais de 65 anos.

SHADY SHOALS REST HOME

Vestido para Nadar

Bob Esponja e Patrick adoram assistir na TV às aventuras de seus heróis nas manhãs de sábado enquanto comem uma tigela de cereal do Homem Sereia e do Mexilhãozinho. Mas eles gostam DE VERDADE de se fantasiar de Homem Sereia e Mexilhãozinho e fingir que SÃO os tão amados super-heróis!

Quando fazia um hambúrguer de siri do tamanho do Homem Sereia e do Mexilhãozinho, Bob Esponja ganhou o sinal concha – como na TV! É um aparelho de sinalização no formato de uma concha utilizado para convocar a dupla dinâmica quando o perigo surge. Mas Bob Esponja o utiliza para conseguir ajuda na hora de abrir um pote de maionese!

A caverna secreta do Homem Sereia possui uma parede cheia de utensílios de super-heróis como o Raio Cósmico, por exemplo. Esses utensílios seriam perigosos em mãos erradas – especialmente se forem as de Bob Esponja e Patrick.

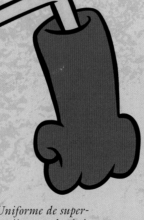

Uniforme de super-herói tamanho único

Homem Sereia e Mexilhãozinho "embarcam" em suas aventuras num barco invisível. Mexilhãozinho acha que foi uma tolice torná-lo invisível, pois é muito difícil encontrá-lo. Então, acabam usando o alarme para isso.

Chinelinhos para a luta contra o crime

As pernas do Homem Sereia não são tão musculosas quanto costumavam ser

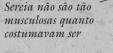

Vestido para Praticar

Bob Esponja é uma esponja cheia de energia. Ele não é do tipo que fica deitado o dia inteiro. Quando não está preparando hambúrgueres de siri, está praticando algum esporte. Tudo pela diversão, menos quando Sandy está por perto, e tudo passa a ser pela competição.

Vestido para jogar

Bob Esponja adora as roupas especiais usadas para cada tipo de esporte. Ele também gosta de falar sobre um bom jogo e de emitir sons com a boca durante seus comentários. Mas quando o negócio é colocar a mão na massa, raramente as coisas vão bem para ele!

Mesmo com um corpo que absorve suor como uma esponja, Bob gosta de usar uma bandana para absorver o suor.

Bob Esponja pode transformar seu corpo numa prancha de surf.

Sandy adora andar de skate e Bob Esponja quer aprender a andar. Por enquanto ele é muito bom em tropeçar, se arranhar, bater e se arrebentar. E isso tudo antes mesmo de subir no skate!

Não neva com muita freqüência na Fenda do Biquíni, mas se estiver nevando, pode ter certeza de que Bob Esponja estará lá fora no meio da neve – até ficar congelado e depois entrar de novo para tomar uma boa xícara de chocolate quente. Esquiar ERA seu esporte predileto – até o dia em que se espatifou.

Jogando à sua maneira

Na Fenda do Biquíni, as coisas sempre são um pouco diferentes. Quando Patrick e Bob Esponja jogam futebol americano, eles seguem suas próprias regras. Podemos escutar os dois dizendo algo assim, "Você acabou de perder três pontos! Um! Dois! Cinco! G-7!" "G-7? Minha coroa! Minha coroa! Eu perdi!"

Bob Esponja tem "Braços de Âncora" – braços de mentira grandes e infláveis

Calças para praticar esportes

Caratê

Caratê sem dúvida é o esporte predileto de Bob Esponja. Usando seu equipamento de proteção, ele adora praticar seus golpes, até mesmo no trabalho, onde cria uma confusão total. Uma vez, o Sr. Sirigueijo o ameaçou dizendo que iria despedi-lo se ele não desistisse do caratê. Bob Esponja respondeu, "Impossível Sr. Sirigueijo... você vai ter que me despedir". (Logicamente que o Sr. Sirigueijo não fez isso.)

Como ele ainda não possui sua carteira de habilitação para pilotar barcos, Bob Esponja se limita a caminhar, correr e andar de bicicleta. Quando estamos andando de bicicleta no fundo do oceano, nunca teremos um pneu furado, já que no lugar das rodas as bicicletas têm pás de barco.

Dando um Tempo

Depois de trabalhar bastante e jogar muito, uma esponja precisa sentar e relaxar. Bob Esponja traz animação para os momentos de descanso como faz com tudo na vida. E quando o assunto é descansar, Patrick, seu melhor amigo, é o companheiro ideal.

Pegando um sol

Como a Fenda do Biquíni é uma cidade oceânica, as pessoas adoram deitar em espreguiçadeiras confortáveis e pegar um sol. Como se consegue pegar sol quando se está debaixo da água? Bem... ah... é muito... deixa pra lá, você CONSEGUE pegar sol e pronto!

Logicamente, o programa predileto do Bob Esponja é *As Novas Aventuras do Homem Sereia e do Mexilhãozinho*, mas quando ele está cansado, ele assiste a outros programas, incluindo o noticiário da Fenda do Biquíni com seu peixe âncora. Só não podemos pedir para que ele assista... a programas educativos!

Quando você está cansado depois de um dia duro de trabalho preparando hambúrgueres de siri, a melhor coisa a fazer além de descansar é descansar com seu melhor amigo. Mas infelizmente para o vizinho ao lado, Lula Molusco, Bob Esponja e Patrick sempre o envolvem em seus planos.

NÃO PERTURBE

Apesar de estar debaixo d'água, uma esponja precisa se proteger do sol utilizando óculos escuros e um guarda-sol.

Até mesmo quando está descansando, Bob Esponja usa seu inconfundível uniforme: shorts, camisa e gravata.

Happy hour

A vida é sempre férias quando se mora em um cenário tão bonito quanto a Fenda do Biquíni. Bob Esponja e Patrick adoram ficar sentados tomando uma bebida gelada, relaxando e apreciando os sons do mar e o surf.

Jardineiro do Mar

Bob Esponja acha muito relaxante manter o quintal ao redor de seu abacaxi limpo e em ordem. Ele passa horas revirando o solo e se certificando de que todas as plantas sejam cuidadas com muito carinho e amor. Algumas pessoas diriam que ele tem uma boa mão para o verde, o que no mínimo é estranho para quem tem mãos amarelas.

Patrick acha o trabalho árduo bem relaxante, por isso ele precisa descansar logo em seguida.

Encharcado

No final do dia, Bob Esponja adora engatinhar até a banheira e se enfiar dentro dela. E como é que ele se sente quando está tomando um banho agradável e quente? Ele se sente bem: GRANDE E INCHADO!

Piratas Encrenqueiros

Quando se vive no oceano, é fácil encontrar barcos piratas afundados. Bob Esponja adora barcos piratas – ou pelo menos adora fingir que é um pirata. Ele nunca perde a oportunidade de se vestir como um pirata, gritar "argh!" e tentar abordar outros barcos!

Caça ao tesouro

Quando estão fantasiados de pirata, Bob Esponja e seus amigos gostam de brincar com um jogo de piratas num tabuleiro, onde caçam tesouros enterrados usando um mapa de mentira. Não é preciso dizer que, com um jogo que envolva ir atrás de dinheiro, o Sr. Sirigueijo logo é fisgado.

Influenciado pelo jogo de piratas, o Sr. Sirigueijo levou Bob Esponja e Patrick para seu navio pirata para caçar tesouros enterrados. E apesar de o Sr. Sirigueijo utilizar um mapa falso do jogo, eles conseguiram encontrar o tesouro roubado! "Nossa!" gritou Bob Esponja. "Aquele jogo É baseado num mapa de verdade!"

Bob Esponja certa vez usou pernas-de-pau e se proclamou, "Perna-de-Pau o Pirata".

Lula Molusco acha difícil entrar no espírito da coisa

Sr. Sirigueijo ensinou Bob Esponja a dizer "argh", como um verdadeiro pirata, e não dizer "Ok, ok".

Tesouro enterrado

Na casa-abacaxi de Bob Esponja existe um velho baú de madeira que se parece muito com um baú de piratas cheio de tesouros. O que poderia haver dentro dele? Um tesouro de piratas? Hambúrguer de siri? De acordo com Olho Tapado o Pirata, até mesmo Bob Esponja não sabe, porque ele perdeu a chave!

Painty o Pirata

Não confundir com Olho Tapado o Pirata: Painty o Pirata é um pirata que está preso dentro de um quadro. Ele tem um tapa-olho em seu olho esquerdo, um chapéu de pirata e um papagaio no ombro esquerdo. Esse sujeito é um pirata pintado que faz com que cantemos o tema de abertura do programa do Bob Esponja.

Certa vez Patrick colocou nos dois olhos um tapa-olho e se proclamou "Barba Cega o Pirata".

Quando está vestida de pirata, Sandy não tem medo de ninguém – nem mesmo do Holandês Voador.

Mascotes Perfeitos

Quais são os apelidos que Bob Esponja deu a Gary? Urso Veterano e Doce Príncipe.

Gary normalmente mia como um gato, menos quando é o Dia do Contra, e late como um cachorro.

Como as pessoas de qualquer outra cidade, os habitantes da Fenda do Biquíni adoram a companhia de seus leais bichos de estimação. Mas em vez de gatos, cachorros e passarinhos, eles cuidam de caramujos, minhocas e conchas. Ou, no caso de Patrick, uma rocha.

Um caramujo felino

O bicho de estimação do Bob Esponja é Gary o caramujo, um molusco inteligente que oferece a seu dono horas de diversão – e frustração, quando ele se recusa a tomar banho. Gary diz "miau", ronrona quando está feliz, brinca de pega-pega com Bob Esponja e adora comer alguns petiscos de vez em quando.

Bob Esponja faz com que Gary sempre se sinta bem. Além de caminhar com ele duas vezes ao dia, ele também gosta de brincar de arremessar pauzinho para que ele vá buscá-lo, não importando o quanto demore. Mas Bob Esponja cuidadosamente monitora os exercícios de Gary porque não quer que o amado bichinho de estimação fique muito magro.

Quando Bob Esponja saiu para participar de uma convenção sobre águas-vivas cometeu o erro de deixar Lula Molusco cuidando de Gary. Feliz de ficar três dias sem Bob Esponja e Patrick, Lula Molusco passou todo o final de semana tomando sol e se esqueceu completamente do coitado do Gary. Felizmente, Gary só precisou de um golinho de água para se recuperar.

Certa vez Bob Esponja adotou uma água-viva como bicho de estimação, mesmo depois de Lula Molusco tê-lo avisado que era um animal perigoso. Bob Esponja e a água-viva se divertiram muito dançando, até que a água-viva convidou todas as suas amigas para irem até o abacaxi e destruíram o lugar.

Ter os olhos presos em hastes ajuda a espiar nas esquinas.

GARY

Minhoca e Borboleta

Sandy tem vários bichos de estimação, incluindo o Pássaro, a Cobra e a Minhoca. Quando ela deixou o Bob Esponja e o Patrick tomarem conta deles, os dois gostaram de brincar especialmente com a Minhoca. Durante a noite, a Minhoca se transformou em uma borboleta. Quando eles olharam com uma lente de aumento para a borboleta, acharam que ela fosse um horrível monstro que havia comido a Minhoca!

Mascote do mal

Certa vez, Gary trocou Bob Esponja pelo Patrick, por isso Bob Esponja arrumou um novo bicho de estimação – um caramujo malvado e estranho com sobrancelhas peludas chamado Larry. Felizmente, Gary estava interessado apenas no biscoito que estava no bolso de Patrick. Após comer o biscoito, Gary voltou para o Bob Esponja – e mandaram Larry passear.

Lagoa Goo

A Lagoa Goo é o lugar para onde todo mundo vai quando quer nadar, surfar, tomar banho de sol, jogar voleibol e passear. A Lagoa Goo até pode ser uma enorme fossa fedida, mas para os habitantes da Fenda do Biquíni é uma maravilhosa fossa fedida. O que poderia ser melhor do que aproveitar o dia com os amigos e cair de cabeça na fossa?

Um cara que quase sempre encontraremos passeando por lá é Larry, a Lagosta. Quando não está trabalhando como salva-vidas, ele está jogando voleibol, surfando ou malhando na Praia do Músculo. Algumas vezes Bob Esponja acha que Sandy gosta mais de Larry do que dele. (Mas sabemos que não é verdade.)

Pronto para qualquer coisa

Em seus dias de folga do Siri Cascudo, Bob Esponja adora ir à Lagoa Goo. Ele sempre leva vários equipamentos. Assim, não importando qual a atividade divertida de que ele participe, sempre poderá responder: "EU ESTOU PRONTO!"

A vida na praia

Para Bob Esponja, a melhor coisa em ir para a praia não é cair na água ou brincar na areia. É estar com os amigos! Patrick adora ficar na Lagoa Goo com o amigo. Ele também gosta de tirar uma soneca sob o sol e ir até a lanchonete.

Cesta cheia de coisas que uma esponja pode precisar na praia.

Malhação

A Praia do Mexilhão pertence à Lagoa Goo, e é onde todos os caras grandes como Larry, a Lagosta, vão malhar. Sandy gosta de lá, mas Bob Esponja prefere malhar na privacidade de seu abacaxi, onde pode levantar seus pesos com bichinhos de pelúcia nas pontas.

Outro cara que vai freqüentemente à Lagoa Goo é Scooter, o peixe surfista. Scooter acha que a praia é "DEMAAAAIS!" Ele também gosta do bom humor de Bob Esponja. Os hobbies de Scooter são surfar, ser enterrado na areia e dizer "demaaaais".

Mesmo tendo o corpo cheio de buracos, Bob Esponja luta para conseguir um bronzeado perfeito.

Uma das coisas mais iradas para fazer na Lagoa Goo é surfar. Muitos surfistas famosos já pegaram ondas lá. Larry, a Lagosta, gosta de deitar na sua prancha. Sandy gosta de plantar bananeira nela. Bob Esponja gosta de surfar, mas também de rasgar as calças ao meio.

Bob Esponja gosta de combinar sua camisa havaiana com os shorts.

Salva-Vidas

O dia de maior orgulho para Bob Esponja na Lagoa Goo foi quando Larry pediu para ele ajudar no trabalho de salva-vidas. Enquanto Larry estava por perto, Bob Esponja aproveitou, se mostrando e soprando o apito. Mas quando Larry foi embora e Bob Esponja assumiu o posto, entrou em pânico e queria que todo mundo saísse da água! Bob Esponja se esqueceu de contar para Larry que ele não sabia nadar.

Valores de Família

As pessoas na Fenda do Biquíni costumam ter vários parentes. Pláncton, por exemplo, tem tantos que poderia fazer um exército só com eles. Bob Esponja e Patrick quase não vêem seus parentes, por isso é muito legal quando eles aparecem!

Esponjas ligadas

Os adoráveis pais de Bob Esponja acharam que o filho voltaria a morar com eles quando a sua casa foi devorada por lombrigas. E quando acharam que ele finalmente havia passado no exame de pilotagem, foram até lá e deram um bote novinho em folha para ele. Bob Esponja o batizou de "Barquinho".

Bob Esponja herdou os três cílios da mãe...

A avó de Bob Esponja mora numa cabana coberta de sapé na Fenda do Biquíni.

O Carinho da Vovó

Bob Esponja adora visitar a avó porque ela faz biscoitos, lê histórias sobre duendes mágicos do fundo do mar e tricota para ele. Quando o atormentam sobre todo esse mimo, ele fica envergonhado, mas no fundo adora mimos.

Curiosidades sobre parentes

Pláncton tem parentes cujos nomes são Billy-Bob, Billy-Jim e Billy-Billy-Bo-Billy-Banana-Fanana-Fo-Filly.

... e a farta cabeleira do pai.

Fácil de impressionar

Quando os pais de Patrick foram visitá-lo, ele ficou preocupado que o achassem "mais estúpido do que um pacote de fraldas". Então, Bob Esponja se ofereceu para agir de um modo bem estúpido para que Patrick parecesse esperto. Os pais de Patrick ficaram impressionados por ele ter se lembrado de se vestir naquele dia.

O orgulho da mamãe

A Mãe Sirigueijo é a cópia fiel do filho, com exceção dos óculos grandes e do vestido roxo. Ela tem muito orgulho do filho e do restaurante, e costuma bater o dedão do pé em pedras. Mas ela nunca diz palavrões de "marinheiros".

A casa da Mãe Sirigueijo fica bem no centro da Fenda do Biquíni. Como a casa do filho, também tem o formato de âncora, só que é rosa em vez de preta, e um pouco menor do que a dele. Tudo lá dentro é bem arrumadinho – assim como ela.

Os Caras Maus

Pláncton não é o único malvado da Fenda do Biquíni. Se não houvesse outros malvados, como o Homem Sereia e o Mexilhãozinho fariam justiça? Apesar de algumas vezes ser aterrorizado pelos vilões, Bob Esponja consegue perturbá-los tanto que eles o deixam em paz!

O Holandês Voador foi forçado a soltar o Bob Esponja quando ele ficou insuportavelmente chato.

Piratas em apuros

Flutuando bem acima do fundo arenoso do mar, o fantasmagórico Holandês Voador é um malvado particularmente assustador. Se você for REALMENTE mau, ele o levará lá para baixo e deixará trancado no armário do Davy Jones por toda a eternidade – que é algo horrível, pois Davy Jones trabalha muito e deixa suas meias fedorentas dentro de seu armário.

Um pirata de respeito tem que ter tranças na barba.

Certa vez Bob Esponja e Patrick fizeram parte da tripulação do Holandês Voador. Depois de acabarem com todas as suas tentativas de assustar as pessoas e de fazerem vários buracos em seu navio, ele decidiu comê-los no jantar. Mas ao roubarem suas meias de jantar, eles o forçaram a conceder-lhes três desejos, e Bob Esponja desejou que ele fosse vegetariano.

O Holandês Voador gosta de usar suas meias de jantar no seu rabo fantasmagórico quando ele está prestes a devorar suas vítimas.

Vilões e mais vilões

Um perverso vilão foi congelado em molho tártaro na caverna secreta até ser solto por Bob Esponja e Patrick. Juntou-se a um outro vilão perigoso e ao Mexilhãozinho (que se voltou para o lado negro para ganhar certo respeito), e formou uma aliança do mal.

O Bolha Suja gosta de fazer com que os outros comam sujeira e os mantém presos dentro de sua incrível bolha!

O Holandês Voador consegue soltar fogo pelas ventas.

Apesar de ser escorregadio e gosmento, o Lesma Sinistra não bota medo no Homem Sereia e no Mexilhãozinho – é necessário mais do que uma gosma espessa para assustá-los!

Apesar de estar aposentado, o Linguado Atômico ainda pode causar queimaduras de terceiro grau, como o Mexilhãozinho dolorosamente descobriu.

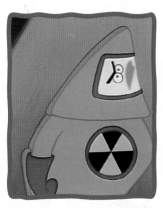

O Camarão Jumbo pode não parecer tão assustador, mas com quatro braços musculosos, ele pode causar estragos em alguém!

Mesmo quando está dormindo, o Holandês Voador usa sua roupa de pirata, pronto para assustar qualquer pessoa que passe por ali.

O Impostor

Quando um lápis mágico caiu dentro do quintal de Bob Esponja, ele fez um desenho dele mesmo para pregar uma peça no Lula Molusco. Contudo, o desenho criou vida própria e provou ser do mal. Ele bateu no Lula Molusco, roubou o lápis mágico, desenhou uma armadilha bem funda para Bob Esponja e Patrick caírem nela, e, o pior de tudo, tentou apagar o verdadeiro Bob Esponja!

Hora da Diversão!

Bob Esponja adora uma boa festa. Seus amigos também, mas preferem rir e dançar em vez de seguir seus planos detalhados. Bob Esponja acha crucial seguir uma programação detalhada para que a festa seja perfeita. Afinal, "festas sem supervisão podem ser um desastre!"

Uma questão de etiqueta

Patrick se considera um perito em etiqueta social. Antes de Bob Esponja tomar chá com Sandy, Patrick o treina para agir de maneira elegante, mantendo o dedinho sempre para cima enquanto toma chá. Quando Bob Esponja mantém o dedinho para cima, Patrick aprova a maneira de agir: "Agora sim, está elegante. Poderíamos chamá-lo de Bob Esponja Calça Elegante!"

Quando Bob Esponja retornou triste de sua tentativa de viver livre na natureza, deparou-se com os amigos numa "Festa de Boas-Vindas"! Ele comeu um hambúrguer de siri e todos se abraçaram – o que foi uma tragédia, pois Bob Esponja estava com uma urticária de Ouriço-do-Mar e a passou para os demais.

Quando Patrick prepara uma lista de suas atividades prediletas em festas, normalmente inclui fazer um castelo de cartas.